¿Preguntas que ponen los pelos de punta

Carla Baredes e Il...

Ilustra...

D1473333

¿Qué es ediciones iamiqué?

ediciones iamiqué es una pequeña empresa argentina manejada por una física y una bióloga empecinadas en demostrar que la ciencia no muerde y que puede ser disfrutada por todo el mundo. Fue fundada en 2000 en un desván de la Ciudad de Buenos Aires, junto a la caja de herramientas y al ropero de la abuela.

ediciones iamiqué no tiene gerentes ni telefonistas, no cuenta con departamento de marketing ni cotiza en bolsa. Sin embargo, tiene algo que debería valer mucho más que todo eso: unas ganas locas de hacer los libros de información más lindos, más divertidos y más creativos del mundo.

Idea y texto:
Carla Baredes e Ileana Lotersztain
Diseño: Lisa Brande
Diagramación: Euhen Matarozzo
Ilustraciones: Javier Basile

©**Ediciones Iamiqué**
info@iamique.com.ar
www.iamique.com.ar
Todos los derechos reservados.
Prohibida la reproducción
parcial o total de esta obra
sin la autorización previa de sus
editores.

Primera edición: marzo de 2000
Segunda reimpresión: agosto de 2001
Segunda edición: junio de 2003
Sexta reimpresión: septiembre de 2009
Tirada: 2000 ejemplares
I.S.B.N.: 978-987-98042-9-2
Queda hecho el depósito que establece
la ley 11.723. Impreso en Argentina.

Baredes, Carla
    Preguntas que ponen los pelos de punta 1 : sobre el agua y el fuego / Carla Baredes e Ileana Lotersztain ; adaptado por Laura A. Lass de Lamont ; ilustrado por Javier Basile. - 2a ed. 6a reimp. - Buenos Aires : Iamiqué, 2009.
    72 p. : il. ; 21x21 cm.

    ISBN 978-987-98042-9-2

    1. Ciencias para Niños. I. Lotersztain, Ileana II. Lass de Lamont, Laura, adapt. III. Basile, Javier, ilus. IV. Título
    CDD 300.54

Mientras lo escribíamos, este libro era nuestro y de nadie más. Ahora que lo tienes en tus manos, nos encanta que sea tuyo y de todos los que lo quieran leer.

Aunque ya no nos pertenece, te queremos pedir permiso para dedicárselo a cuatro personas que queremos mucho: Fede, Pablo, Juli y Pancho.

Y si no es mucha molestia, te queremos pedir algo más. Si alguna vez te encuentras con Lisa, Javier o Pablo, les das las ¡muchas gracias! por lo mucho que hicieron para que este libro sea de todos.

Ileana y Carla

Preguntas que ponen los pelos de punta

índice

¿El agua moja?

¿Qué quiere decir que algo está mojado?	8
¿Conoces algo que el agua no moje?	11
¿Por qué los patos no se mojan?	12
¿Sabes cómo se imprime un libro?	16
¿Por qué los paraguas paran el agua?	18

¿El agua limpia?

¿Por qué se ensucian las cosas?	25
¿Sabes por qué limpia el jabón?	27
¿Todos los líquidos mojan igual?	32
¿Puedes apoyar cosas sobre el agua?	35

¿El agua apaga el fuego?

¿Qué se necesita para hacer fuego?	40
¿Por qué se encienden los cerillos?	43
¿Sabes por qué el agua apaga el fuego?	45
¿El agua siempre apaga el fuego?	48

¿De qué color es el fuego?

¿Por qué quema el fuego?	56
¿Todos los fuegos queman igual?	58
¿De qué color es el fuego?	59
¿Qué son los fuegos artificiales?	61
¿Sabes qué es el humo?	64
¿Qué queda cuando se apaga el fuego?	66

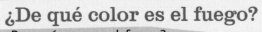

¿El agua moja?

Si metiste los pies en un charco, ya sabes que el agua moja. ¡Elemental! Y moja tanto, que seguro que pusiste a secar tus zapatos y te cambiaste los calcetines. Pero si esa mañana te hubieras puesto tus botas de lluvia, ¿te habrías mojado? ¿Se habrían mojado las botas? Entonces... ¿el agua moja **TODO**? ¿El agua moja **SIEMPRE**? Y además...

¿Qué quiere decir que algo está mojado?

En realidad, definir la palabra **mojado** *le pone los pelos de punta* a cualquiera. Si la buscas en el diccionario, vas a ver que no dice demasiado. **Mojado** es *humedecido con un líquido, empapado, inundado...* Algo así como que "**mojado es mojado**".

Claro, la cosa no es tan simple como parece. Si le preguntas a cualquiera qué significa que algo está mojado, te va a hablar de los líquidos. Y eso está bien: **para mojar una cosa se necesita un líquido.** Pero sólo con eso no basta. **También se necesita algo que se deje mojar.**

A VER, JULI... ¿POR QUÉ ALGO SE DEJA MOJAR?

PORQUE NO PUEDE SALIR CORRIENDO...

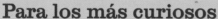

Para los más curiosos

Si buscas "la definición" de mojado en libros de ciencia... ¡será difícil que encuentres dos iguales! Es que, en realidad, no hay una sola manera de explicar por qué algo se moja. La palabra **mojado** se relaciona con tantos fenómenos que se necesitarían muchísimas páginas (y mucha solemnidad) para explicarlo.

Las cosas no pueden salir corriendo, pero no por eso terminan mojadas. Uno de los motivos por los que las cosas *se dejan mojar* es que se sienten **atraídas** por el líquido que las moja.

El agua te moja la piel porque **"tu piel y el agua se gustan"** (aunque a ti no te guste bañarte). Si no hubiera atracción entre ellas, el agua resbalaría por tu cuerpo y no te mojarías ni un poquito.

Para los más curiosos

Si pudieras mirar el agua con una superlupa, verías muchísimas "cabecitas del ratón Mickey Mouse" unidas entre sí. Cada "cabecita" es una **molécula de agua**. La piel también tiene **moléculas**, pero con otras formas. Cuando el agua moja tu piel, sus moléculas se pegan a las moléculas de tu piel, de la misma forma que los imanes se pegan a la puerta del refrigerador.

La pregunta cae por sí sola. Si el agua moja aquellas cosas que le gustan, entonces:

¿Qué cosas no moja el agua?

Piensa un ratito... ¿Te acuerdas de algo que el agua **no** moje? La respuesta es difícil.
¿Sabes por qué?
Al agua le gusta casi todo lo que usas habitualmente.
Al agua le gusta la madera, el algodón con el que están hechas tus camisetas, el
papel de tus cuadernos, tu pelo...
Si estás pensando que no hay nada que el agua no moje, haz este experimento:

¡Manos a la obra!

**Sumerge una vela (apagada)
en un vaso con agua
y otra en un vaso con aceite.
Compara cómo quedan cuando
las sacas.**

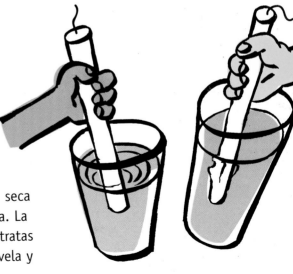

La vela que metiste en el vaso con agua queda seca
porque la vela y el agua no se atraen para nada. La
que metiste en aceite, en cambio, se moja. Si tratas
de limpiarla, no te va a resultar nada fácil: la vela y
el aceite **se gustan con locura.**

Me quiere, no me

Así como al agua le gustan muchas cosas, hay otras que odia terriblemente: la **grasa** y el **aceite**.
Y el rechazo es mutuo.
Nada es más difícil que mezclar agua con aceite.
Haz la prueba y vas a ver que apenas dejas de mezclar, las gotitas de aceite se apartan y forman una gran gota.

ESTOS DOS SON COMO EL AGUA Y EL ACEITE

Para los más curiosos

Como los invitados a una fiesta de cumpleaños, las moléculas de un líquido deben *tener algo en común* con las moléculas de otro líquido para relacionarse con ellas. El **problema es que las moléculas del agua no tienen nada que ver con las del aceite.**

12

¡Al agua, pato!

¿Alguna vez viste un pato mojado? Aunque los patos pasan mucho tiempo en el agua, salen de ella casi **secos.** No es que tengan poderes especiales...
Los patos conocen este asunto del agua y el aceite. Ellos mismos fabrican un aceite con el que recubren sus plumas. De esta forma, logran que el agua no los moje, aunque se sumerjan por completo.

**Todos los patitos se fueron a bañar
y el más chiquitito se quiso quedar,**
la madre enojada le quiso pegar
y el pobre patito se puso a llorar...

Si hubiese estado enterado
de que no se habría mojado,
el patito se habría bañado.
Y colorín colorado.

13

Un alto en el camino...

En muchos países, el agua es la gran protagonista del Carnaval.
Grandes y pequeños juegan con globitos de agua y terminan empapados.
En los pueblos y en algunos barrios de las grandes ciudades, la fiesta es
muy colorida. Por la noche, la gente se disfraza y participa de las cabalgatas,
donde hay desfiles de comparsas y la
música suena hasta el amanecer.

En Birmania, la
gente festeja la
llegada del año
nuevo tirando
agua sobre sus
cabezas.

14

En la India se festeja el *Holi*, que es el **carnaval** de la primavera. La gente sale a la calle con el pelo suelto y se mojan unos a otros con **agua** coloreada de rojo. Muchos dicen que años atrás se usaba sangre de animales en lugar de agua roja. ¡Puajjjj!

La tradición del **Carnaval** se está perdiendo poco a poco. Pregúntales a tus abuelos si ellos lo festejaban cuando eran niños.

15

Además de evitar que los patos se mojen,
que el agua y el aceite se lleven mal
se puede aprovechar para un montón de cosas.
Sin ir más lejos, sirvió para hacer este libro.

¿Sabes cómo

se imprime

Hace unos **doscientos** años,
un señor que conocía la
rabia que se tienen el
agua y el aceite inventó
unos sellos muy originales.
Tan originales
que las letras,
en lugar de
sobresalir del
fondo, estaban
dibujadas.
La historia fue más
o menos así.

l señor untó un pincel **con
aceite** e hizo un dibujo
sobre una piedra lisa.

espués derramó **agua** sobre la piedra. Y como
el agua y el aceite *se llevan como perro y
gato,* **el agua sólo mojó las partes de
la piedra que no estaban escritas con aceite.**

uego, el señor recubrió la piedra con
tinta **aceitosa** (al óleo). ¿Y qué crees
que ocurrió? A la tinta le gustó el aceite,
y no le gustó el agua, **y se quedó pegada
al dibujo.**

Listo el sello!
Sólo quedaba juntar
el papel y la piedra.

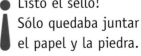

16

un libro?

Los "sellos lisos" tuvieron mucho éxito. Tanto, que las máquinas modernas que imprimen las hojas de los libros emplean un método bastante parecido. Pero, en lugar de piedra, usan planchas metálicas que están "escritas" con **una sustancia que odia el agua.**
Las planchas se mojan primero con agua. El agua cubre todo, menos los lugares donde está la "sustancia enemiga".
Después, se untan las planchas con tinta aceitosa. **La tinta sólo se pega a las partes que no tienen agua:** las letras y los dibujos.

¡Manos a la obra!

Si encuentras alguna piedra lisa que no esté esmaltada, prueba de fabricar tu propio "sello liso".

¿Pensaste cómo se imprimen varios colores?

Casi todos los colores que ves en los libros se forman mezclando cuatro. Cada color se imprime por separado, mientras las hojas van pasando por la máquina.

Primero el cyan (parecido al azul turquesa)

Luego el magenta (parecido al rosa fuerte)

Después se le agrega el amarillo

Y al final el negro

17

Cantando bajo

Si estás pensando que el próximo día de lluvia vas a salir a la calle untado con aceite, abandona la idea. Hay cosas menos asquerosas: ponte un impermeable o lleva el paraguas. Además de que no les gusta el agua, los materiales que se usan para fabricar los paraguas y los impermeables **no dejan que el agua los atraviese** y por eso no te mojas *ni un pelo*.

Estos materiales, no servirían en absoluto de colador: no dejan que se "cuele" ni una gota.

Para los más curiosos

Los materiales tienen dentro de su estructura agujeritos que se llaman **poros**. Si un líquido puede atravesar los poros de un material, se dice que **el material es permeable a ese líquido.** Por eso, aunque los paraguas son impermeables al agua, pueden dejar pasar otros líquidos. Si alguno de estos líquidos cayera del cielo, el paraguas no te serviría para no mojarte.

Aunque parezca raro, los paraguas no se inventaron para parar el agua sino para tapar el sol. Muchos historiadores dicen que los hicieron los egipcios hace unos 3.400 años, y que se fabricaban con hojas de palmera, plumas o algo parecido al papel .

Siglos más tarde, las mujeres romanas copiaron la costumbre de usar sombrillas, que además de protegerlas del sol, eran un símbolo de riqueza y les daba un toque de coquetería. Y parece que algunas tuvieron la idea de untarlas con aceite, para transformar sus sombrillas en verdaderos paraguas.

19

MI HERMANO ES UN KAYAC

Si estás pensando en ir a conocer a los esquimales, ni se te ocurra decirles **esquimales**: para ellos es un nombre ofensivo que significa "devoradores de carne cruda". El nombre con el que ellos se llaman es **inuit**, que quiere decir **la gente**. Los inuit se trasladan por el agua en **kayacs y oomiacs** (unas canoas más grandes). El armazón se hacía antiguamente con barbas de ballena y se lo recubría con pieles de focas, morsas y lobos marinos. La piel se frotaba con la grasa de estos animales para que fuese impermeable.

Mucho antes que Colón gritara "¡Tierra a la vista!", los indígenas americanos ya hacían zapatos y abrigos con un material muy resistente al agua. Los indios peruanos lo llamaron **cauchuc**, que quiere decir, justamente, **impermeable**. Nosotros lo conocemos como **caucho**. Trabajar el caucho tiene sus secretos: los españoles se pasaron años tratando de fabricar sus propios impermeables sin éxito. Tardaron más de doscientos años en lograrlo.

Las damas romanas estaban tan encantadas con sus paraguas, que los llevaban a todas partes. En las funciones al aire libre, por ejemplo, bastaba una leve llovizna para que todas los desplegaran al unísono. Los varones, en cambio, estaban muy disgustados con esos objetos, porque les tapaban la visual y no podían ver el espectáculo. Se armaba tanto alboroto que, para terminar con el conflicto, tuvo que intervenir el emperador Domiciano. Como buen caballero, les dio la razón a las damas. ¿Le habrá preocupado que se les arruinara el peinado?

Dicen que los primeros impermeables que se usaron fueron unas capas hechas de cuero, que se recubrían con grasa de animales. Se ponían por la cabeza y los usaban los campesinos y los soldados, que pasaban muchas horas al aire libre.

21

¿El agua limpia?

Después de un día en el parque, hay algo de lo que no te puedes salvar: ¡bañarte! Es así: el parque se te nota en el cuerpo y en la ropa. Estás **sucio** de pies a cabeza. Pero...

¿Qué quiere decir que algo está sucio?

No le des muchas vueltas al asunto: una cosa está sucia cuando se le **mete** o se le **pega** algo que **no debería estar ahí**. Nadie diría que el parque esté sucio porque está lleno de tierra. Pero si la tierra está en tu camiseta ... ¡Cuánta mugre!

En realidad, la palabra **sucio** se usa para decir muchas cosas. Un perro que ensucia mucho es un perro sucio. La ropa blanca es muy sucia porque se ensucia casi *con mirarla*. Un amarillo sucio es un amarillo con una pizca de negro. Si alguien hace trampa en un juego, se dice que juega sucio. Y quien piensa muy mal de alguien injustamente, se dice que tiene una "mente sucia".

¿Por qué tu camiseta se lleva la tierra del parque?

Si miras tu ropa con atención, vas a notar que la tela es una **red apretada** con un montón de agujeros muy pequeñitos. La tierra queda atrapada en esos huecos y por más que te sacudas no se mueve de ahí. Pero la tierra te puede ensuciar mucho más: ¡qué sucio si te caes en el barro! Se te pega y no hay manera de sacártelo de encima. ¿Por qué se te pega? Como **el barro es** tierra con agua, y la tela y el agua *se gustan mucho*, el barro te **moja** la camiseta y ahí se queda...

Y si estás empapado por el sudor, no hay tierra que resista. El agua de tu cuerpo la atrae como un imán y se la lleva a casa.

Es hora de sacarte la tierra de encima: ve **directo** a la bañera sin rechistar y quédate un buen rato en el agua. Si no quieres usar jabón, no hay problema: el agua y una esponja son capaces de borrar todos los rastros de tierra. Pero si anduviste en bicicleta y **te manchaste con la grasa** de la cadena, la cosa no va a ser tan fácil.

¿Por qué te mancha la grasa?

Aunque no lo notes, tu piel fabrica un aceite que la protege. Como el aceite se lleva bien con sus parientes, la grasa de la bici **te moja la piel** y se te pega.

Aunque te quedes a vivir en la bañera, no vas poder sacarte la grasa de encima. Se lleva tan mal con el agua, que no tiene ningún interés en irse con ella.

Lo único que puedes hacer para que la grasa abandone tu piel es presentarle un candidato mejor: **el jabón**.

¿Por qué limpia el jabón?

Al jabón le encanta la grasa. Cuando te lo pasas por el cuerpo, se pega a las manchas que te dejó la bici. Pero el jabón también se siente atraído por el agua. Cuando te sumerges en el agua, ¿con quién crees que se queda? ¡Con las dos! De esta manera, logra una misión imposible: **unir la grasa con el agua**. Así, al pasar el chorro, las manchas se desprenden de tu cuerpo como si fueran de tierra.

Además de la grasa de la bici, muchas de las cosas que corren por ahí se te pegan al cuerpo porque están cubiertas de grasa o aceite. Para deshacerte de ellas no hay nada mejor que una buena enjabonada.

Para los más curiosos

Si pudieras mirar el jabón con una superlupa, verías algo parecido a unos gusanitos unidos entre sí. Cada gusanito es una molécula de jabón. Al "cuerpo" lo atraen las moléculas de grasa. La "cabeza", en cambio, las detesta y adora las de agua. Cuando un grupo de gusanitos que nada en el agua encuentra un pedacito de grasa, los cuerpos se le pegan y lo envuelven. Pero como las cabezas están superunidas al agua, el jabón arrastra con todo y se lo lleva con la corriente. Así, las moléculas de jabón logran lo que el agua sola no puede hacer: sacar las manchas de grasa.

¿Cómo sabe el jabón

cuáles

El jabón en polvo **no sabe nada de manchas**. Si la mancha es grasosa (o aceitosa) hace lo mismo que el jabón que usas para bañarte: se la lleva con el agua. Pero no todo es grasa en esta vida: hay manchas en la ropa que no "simpatizan" con el jabón. Por eso el polvo para lavar contiene otras cosas que sacan las **manchas rebeldes**.

¡Manos a la obra!

Si quieres descubrir qué quitamanchas funciona mejor con cada mancha, haz este experimento. Consigue una camiseta blanca de algodón que ya no uses y córtala en pedazos. Busca cosas que manchen: ketchup, café, chocolate, lápiz de labios o lo que tengas. En cada pedazo de camiseta, haz manchas con todos los **manchadores** y déjalas secar.

Unta (con un pincel) las manchas de **uno** de los pedazos con vinagre blanco y fíjate qué pasa. Toma otro pedazo de camiseta y pinta las manchas con leche. Haz lo mismo con agua, alcohol, detergente, lejía y algún otro limpiador que encuentres.

en polvo son las manchas?

Aunque el jabón en polvo no tiene leche, ni vinagre, ni agua mineral, ni alcohol, tiene cosas en común con ellos que justamente son las que ayudan a sacar cada tipo de mancha.

Bueno, ya tienes la ropa limpia. Péinate, perfúmate y vístete *de punta en blanco*...

¿Sabes de dónde viene la frase **de punta en blanco**? Hace muchos años, los espadachines se entrenaban con varillas de hierro que tenían un tapón en la punta para no lastimarse, a las que llamaban **armas negras**. Las que usaban en los torneos, en cambio, eran de acero brillante y tenían la **punta en blanco** (sin tapar). Los contrincantes se vestían con armaduras relucientes, escudos brillantes y yelmos (cascos) impecables. Aunque ahora no se celebran estos campeonatos, la frase se sigue usando para decir que alguien se preparó como para ir a una gran fiesta.

Un alto en el camino...

¿Sabes cuánta agua necesita una persona por día para bañarse, lavar su ropa y los platos que usa? ¡Alrededor de 150 litros!

En Buñol, una ciudad de España, se celebra todos los años La Tomatina. Ese día, los tomates no se usan para hacer salsa ni ensalada: **sólo para jugar**. Las 30.000 personas que participan en la fiesta se los lanzan unas a otras y terminan completamente **sucias**. ¿Sabes cuántos tomates tiran? ¡Tres millones! Dicen que no hay jabón que pueda contra tanta suciedad...

En algunos países, cuando un estudiante se licencia de médico, abogado, ingeniero o de cualquier otra cosa, sus compañeros lo celebran con una "huevada". Además de huevos, le tiran harina, aceite, ketchup y todo lo que encuentran en la tienda... Como es imposible limpiar tanta suciedad, los flamantes profesionales se ponen ropa vieja antes de empezar los festejos (si les dan tiempo...). Después, esa ropa va a la basura.

En la Quebrada de Humahuaca, en Argentina, todos los años se celebra la Fiesta de las Ollas. La gente que vive en las montañas recorre un largo camino llevando tejidos, animales y alimentos. Al llegar al pueblo cambian estas cosas por otras que necesitan. Cuando terminan los **trueques**, las mujeres se juntan en un arroyo para lavar la ropa. El día termina con bailes y canciones.

31

¿Todos los líquidos mojan igual?

Una cosa es cierta: para lavar algo hay que mojarlo. Y para eso hace falta un líquido. Tal vez no lo hayas notado, pero algunos líquidos son más **mojadores** que otros. Sin ir más lejos, **el agua no moja tanto como parece.** Si quieres verlo con tus propios ojos, puedes hacer el siguiente experimento.

¡Manos a la obra!

Llena una tapa de refresco con agua y otra con alcohol. Consigue dos platos iguales. Derrama sobre uno de ellos el agua y sobre el otro el alcohol (despacio). Fíjate cuánto se mojan los platos.

¿Hay más alcohol que agua? Claro que no: pusiste una tapa de líquido en cada plato. Lo que ocurre es que al alcohol le gusta el plato más que al agua y se desparrama mucho más. Por eso, **el alcohol moja más que el agua**

Para los más curiosos

El agua está formada por moléculas que se gustan mucho entre ellas. Si pudieras mirar una molécula que está en el medio de un vaso lleno con agua, verías que es atraída por todas las que están a su alrededor.

Las moléculas que están arriba de todo (en la superficie) tienen una diferencia: como no les gusta el aire no hay nada que las atraiga desde arriba. Entonces se agarran mucho al agua formando una piel resistente.

¿Por qué el agua moja menos que el alcohol?

Una gota de agua es como un globito de agua en miniatura. Para comprobarlo, mira de cerca un grifo que gotea.

Mientras la gota se forma en la punta, se va hinchando y redondeando, hasta que se desprende y cae. Pero, ¿qué es lo que envuelve a estas pelotitas de agua?

Aunque no la veas, la gota, y el agua del plato, tienen una especie de **piel** elástica que las rodea. Y aunque se rompe con sólo tocarla, esta piel sostiene al agua toda junta y no la deja desparramarse mucho.

Todos los líquidos tienen piel. Y así como la piel de un globito de agua es más fina que la de un globo, la piel del alcohol es más delgada que la del agua. Por eso, cuando lo derramas sobre el plato, llega mucho más lejos.

Las moléculas de agua que están en contacto con el vaso, en cambio, se gustan con las moléculas del vidrio y se relacionan con ellas. Entonces no se forma la piel y el agua se pega al vidrio, **mojándolo**.

Las pieles de los líquidos no son todas iguales.

Si las moléculas no simpatizan entre ellas, la piel es muy **fina** y el líquido es **más mojador**.

Si estás pensando en poner a remojar tu ropa en alcohol para que quede bien mojada, olvídalo. Hay algo más sencillo: puedes conseguir que el agua **moje mucho más**.

¿Cómo se consigue un agua más mojadora?

No imagines fórmulas secretas, ni palabras mágicas... La receta es muy conocida y más vieja que Matusalén: **ponle jabón**.

Cuando el jabón toca el agua, le agujerea la piel y la hace menos fortachona. El **agua enjabonada** se desparrama con ganas y se mete por toda la tela, ayudando al jabón a capturar la mugre.

Para los más curiosos

Las moléculas de jabón se tiran al agua "de cabeza". Cuando las moléculas de agua que forman la piel las ven venir, se sienten atraídas por ellas y las dejan pasar. Y ahí viene la sorpresa: atrás está la cola aceitosa que no les gusta para nada. Heridas por el engaño, las moléculas de agua huyen despavoridas y buscan nuevas compañías: las moléculas de la tela.

ón de piel

Aunque la piel del agua no se ve y se rompe con sólo tocarla, puedes apoyarle cosas para que las sostenga. ¿Quieres probar?

¡Manos a la obra!

Llena un vaso con agua. Toma una aguja (de coser) por el medio y déjala caer sobre el agua (desde muy cerquita de la superficie). ¿Qué pasa? Como al agua no le gusta el metal, no moja la aguja. La piel del agua está tan tensa que la aguja no la puede atravesar y queda apoyada. Ahora puedes agujerearle la piel al agua. Tira unas gotas de detergente (que hace lo mismo que el jabón) lejos de la aguja. Al romperse la piel, la aguja no tiene dónde apoyarse y se hunde.

El **zapatero** es un bichito que vive en el agua, pero no sabe nadar. ¿Sabes cómo se las arregla para moverse? En las patas tiene unos pelos muy finos que lo ayudan a apoyarse sobre el agua sin romperle la piel. No creas que camina despacio como si estuviera pisando huevos: se mueve rapidísimo.

35

Datos curiosos

Hace casi 2.000 años, la erupción de un volcán enterró una ciudad entera que se llamaba Pompeya. Como quedó tapada por las cenizas, pasaron muchos años hasta que la descubrieron. Al desenterrarla, los exploradores encontraron calles, teatros, casas y tiendas que no habían sido destruidos por el volcán. Uno de los edificios era una **fábrica de jabón**. Adentro había jabones que todavía tenían **perfume**. ¿Te imaginabas que los jabones eran tan antiguos?

Para ir a comprar detergente antes del año 1880 había que llevar una botella vacía para que el dueño de la tienda te la llenara. El detergente era sólo detergente: el único que sabía **la marca** era el tendero. Pero ese año algunos fabricantes tuvieron una idea: poner sus productos en envases que llevaran una etiqueta con su nombre. Entonces, si a la gente le gustaba, podía pedir que le vendieran **siempre** el mismo. Muchos dicen que así nació la publicidad.

Aunque te parezca increíble, muchos animales se limpian revolcándose en el barro. El barro les moja la piel y atrapa la suciedad, las pulgas y las moscas. Cuando se secan, los animales se sacuden y la tierra se cae. Quedan muy limpios y muy guapos.

Para la jirafa la cosa no es tan fácil. Como es tan alta, le cuesta mucho tirarse al suelo. Por eso se baña sólo cuando llueve. Pero como las pulgas no se van con el agua, tiene un ayudante: un pajarito que se las come y se pasa todo el día picoteándole el cuello.

A los griegos les encantaba inventar historias llenas de personajes de fantasía. Algunas cuentan las hazañas de **Hércules**, un héroe forzudo y valiente que tuvo que pasar doce pruebas tremendas. Una de ellas, la quinta, fue **limpiar** un establo donde se acumulaba la caca de miles de animales y que **no se había limpiado en treinta años**. Para pasar esa asquerosa prueba, Hércules desvió dos ríos y los hizo pasar por el establo. ¡Impresionante manguera!

PUAJ!

¿El agua apaga el fuego?

Cuando estás de campamento y llega el
momento de encender la hoguera...

¿Qué necesitas para hacer fuego?

La pregunta no suena difícil.
Con una caja de cerillos o un
encendedor y unas ramitas
secas parece suficiente.
¿Y si no tuvieras cerillos ni
encendedor? ¿Podrías encender
el fuego igual? Probablemente
sí, pero te llevaría mucho
tiempo y quedarías hecho polvo.

Si quieres jugar a ser un hombre
primitivo, aquí tienes la receta:
busca una rama que tenga un
hueco y rellénalo con hojas
secas. Toma un palito
puntiagudo y hazlo girar,
apretando las hojas con la
punta. Si logras encender el
fuego antes de que se te
acalambren los brazos, ya eres
un *hombre de las cavernas*.

Cuando giras el palito, calientas las hojas de la misma manera que se calientan tus manos cuando las frotas entre sí los días de mucho frío.

Y aquí está el primer protagonista de esta historia: el calor.

Para hacer fuego se necesita calor

¿Y por qué pones hojas secas dentro de la rama? ¿Podrías encender el fuego si en lugar de hojas pusieras monedas? No vale la pena que tires tus ahorros: las monedas no sirven para hacer fuego. Y además, sería muy caro.

Para encender un fuego, además de calor, **se necesita algo que se deje quemar.** Las hojas secas, la madera, el papel, la gasolina y el aceite son cosas que **se dejan quemar.** ¿Sabes cómo se llaman estas cosas? **Combustibles.** Entonces:

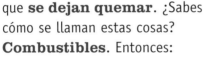 **Para hacer fuego se necesita calor y un combustible**

Para los más curiosos

Aunque te resulte imposible imaginar la vida sin ellos, los cerillos, tal como los conoces, se inventaron hace 150 años. Tal vez te parezca que son antiquísimos... pero frente al tiempo que pasó desde que los hombres empezaron a prender fuego, 150 años no es nada.

¿Qué tiene la Tierra que no tenga la Luna?

Aunque parezca divertido, frotar dos palitos es muy poco práctico a la hora de poner carne a la brasa. En esta *vida moderna*, nada mejor que usar un cerillo. Pero tú sabes que sólo con eso no alcanza: también se necesita la cajita.

Y ahora una pregunta difícil: **¿Siempre se enciende un cerillo cuando lo frotas contra la tira café de la cajita?**

Depende: si estás en la Luna, ¡no!

La Tierra tiene muchas cosas que a la Luna le faltan... Pero, si se trata de fuego, la respuesta es: **oxígeno**. Y no sólo no podrías encender un cerillo sin oxígeno, tampoco podrías vivir sin él.

Si estás pensando en ir corriendo a la tienda a comprar un paquete de oxígeno para tener de reserva, olvídalo: está en el aire.

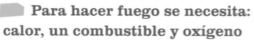 **Para hacer fuego se necesita: calor, un combustible y oxígeno**

Un campamento no es un campamento sin la mochila, la cantimplora y la tienda de campaña. Un fuego no es fuego sin calor, combustible y oxígeno.

Para los más curiosos

¿Sabes por qué enciende un cerillo? La cabeza roja tiene una mezcla de cosas muy especial. Al frotarla contra la tira café de la caja se libera mucho calor. La madera es el combustible y el aire pone el oxígeno. **¡Listo el fuego!**

¡Alto al

Ahora que te enteraste de cómo se enciende un fuego, sería bueno que supieras también cómo apagarlo.
Como tú, la llama necesita oxígeno para vivir. Y si se lo quitas: ¡adiós, fuego!

¡Manos a la obra!

Pídele a alguien mayor que te ayude a hacer el siguiente experimento. Cubre una vela encendida con un vaso de vidrio grueso y fíjate qué pasa. Vas a ver que la llama se hace cada vez más pequeña, hasta que desaparece.

Para tu próximo cumpleaños, ya conoces una forma muy original de apagar las velitas...

Aunque no la cubras con un vaso, puede pasar que la llama de una vela se debilite después de un rato. Si le cortas el **pabilo**, el nombre difícil de la mecha, la llama recupera su fuerza. De ahí viene la palabra **despabilar**. Cuando alguien se despabiló, está bien despierto, "con todas las luces".

fuego!

Pocos saben por qué, pero mucha gente tira mantas encima de las llamas para apagar el fuego. La manta se mete como *el jamón del sándwich* entre el combustible y el aire. Si no hay aire, no hay oxígeno y **sin oxígeno el fuego se muere**.

Si el fuego no es muy grande, el **método manta** da buenos resultados. Pero no es el más popular: a cualquiera que le preguntes cómo apagaría un incendio, seguro que te dice "con agua".

¿Por qué el agua apaga el fuego?

¿CUÁL ES EL COLMO DE UN BOMBERO?

QUE SU HIJA BAILE LA DANZA DEL FUEGO...

El agua *mata dos pájaros de un tiro*:
Primer pájaro: **el agua es una "manta" que separa al combustible del aire.**
Pero si se trata de mantas, deja mucho que desear: en vez de abrigar, enfría. ¡Y un montón!
Segundo pájaro: **el agua es una devoradora de calor.**
Por eso es la enemiga número uno del fuego.

45

Un alto en el camino...

En Valencia, una ciudad española, todos los años se celebra una fiesta muy original llamada *Las fallas de marzo*. Los festejos duran una semana y terminan con la *Nit de Foc (Noche del fuego)*: las calles se iluminan con impresionantes hogueras en las que arden las *fallas*, enormes muñecos de cartón pintado. No creas que están hechos de cualquier manera: como hay uno que se salva del fuego, cada "grupo fallero" trabaja todo el año para que su muñeco sea el elegido.

En Black Rock City, una ciudad de Estados Unidos, se realiza todos los años el *Festival del fuego*. Fotógrafos, cineastas y pintores muestran sus habilidades con las llamas. La fiesta empieza cuando se enciende el primer cerillo.

Hace más de 2.000 años, los escandinavos celebraban el *Yule*, el día en que comienza el invierno. Como ese día el Sol "está muy débil", encendían enormes troncos porque suponían que el fuego ayudaba al Sol a recuperar sus fuerzas. La costumbre del *Yule* la copiaron muchos pueblos de Europa.

Sal de ahí, chivita, chivita,
sal de ahí, de ese lugar.
Vamos a llamar al palo
para que saque a la chiva.
El palo no quiere sacar a la chiva,
la chiva no quiere salir de ahí.
Vamos a llamar al fuego
para que queme el palo.
El fuego no quiere quemar el palo,
el palo no quiere pegarle a la chiva,
la chiva no quiere salir de ahí.
Vamos a llamar al agua
para que apague el fuego.
El agua no quiere apagar el fuego,
el fuego no quiere quemar el palo,
el palo no quiere sacar a la chiva,
la chiva no quiere salir de ahí.
Sal de ahí, chivita, chivita,
sal de ahí, de ese lugar.

Canción popular argentina

47

A veces, tirarle agua a las llamas es como echar más leña al fuego. Si el combustible que está ardiendo es aceitoso, ¿se apaga si le tiras agua? Como el aceite y el agua se llevan como perro y gato, las gotas de aceite huyen despavoridas para todos lados. El fuego se va con ellas y... **¡gran incendio!**

Para los más curiosos

Algunos extintores tiran una espuma que separa el oxígeno de las llamas. Para apagar un fuego aceitoso, puedes quitarle el oxígeno con esta espuma-manta. Por eso es muy importante que en los lugares donde se puedan producir incendios con combustibles que se llevan mal con el agua, haya siempre a mano un extintor.

48

Si llueve, comemos pasta

Si quieres hacer carne a la brasa después de un día de lluvia, encontrar ramitas que sirvan para encender el fuego es casi imposible. Si las ramas están mojadas, el fuego no enciende. Pero, **¿por qué?** Cuando acercas la llama, el agua *que está metida en la rama* chupa todo el calor y no deja que la madera se caliente lo necesario para encenderse.

¡Manos a la obra!

Para comprobar que el agua se traga el calor, puedes hacer este truco con la ayuda de algún mayor. Consigue un vaso de cartón (que no esté encerado), llénalo con agua y ponlo sobre la llama de una vela.

¿Hay fuego? Para nada. El agua puede hervir, pero el vaso *ni se mosquea*. Todo el calor de la llama lo chupa el agua. El cartón no se enciende porque no se calienta lo suficiente.

49

¿Cómo se combate un incendio

La próxima vez que vayas a acampar y te toque apagar la hoguera, ya sabes cómo hacerlo. Pero, ¡cuidado! Un fuego mal apagado puede transformarse en un enemigo casi invencible.

**Antón, Antón,
Antón Pirulero.
Cada cual, cada cual
atiende su fuego,
y el que no, y el que no,
un incendio tendrá...**

¡Fuego, fuego!

Cuando el suelo y los árboles están muy secos y hace mucho calor, cualquier chispita puede hacer que un bosque se convierta en una **gigantesca bola de fuego**. Te puedes imaginar las consecuencias: miles de árboles y animales son devorados por las llamas. En 1987, en China y la ex Unión Soviética, el peor incendio forestal de la historia quemó un lugar donde entraría casi todo Panamá. Fue tan, tan grande, y dio tanto para hablar, que se escribieron un montón de libros sobre él y hasta le pusieron nombre: **El Gran Dragón negro.** A semejante enemigo, es evidente que una manta o una cubetada de agua no le habrían hecho ni cosquillas.

50

Un bosque que se quema puede tener llamas tan altas como un edificio de 15 pisos. Para combatir a este *señor Fuego* se necesitan muchas cosas:

forestal?

Algunos bomberos llegan en paracaídas para dirigir la tarea desde el lugar. Allí deciden cuál es la mejor manera de combatir el incendio, mientras esperan que lleguen refuerzos desde tierra.

Con helicópteros especiales se rocía espuma y agua sobre las llamas. Algunos países tienen aviones que se apoyan en los ríos y pueden cargar miles de litros de agua en muy pocos segundos.

Suena raro, pero el fuego también se puede combatir con fuego. Los bomberos queman a propósito, y con mucho cuidado, un anillo que envuelve la zona incendiada. Cuando el incendio llega allí, ya no queda nada para quemar. Y el fuego se apaga porque no hay más combustible.

En algunos países, la gente que vive cerca de un bosque se entrena para ayudar en los incendios forestales.

Datos curiosos

Si estás pensando en ir a las Islas Azores, no lleves encendedor: una ley de principios de siglo prohíbe su uso. Un ricachón llamado Ivar Kreuger, que se dedicaba a fabricar cerillos, logró que las autoridades de las islas dieran esta orden ridícula. Se hizo conocido con un apodo que le va justo: el rey de los cerillos.

Sr. Kreuger

¿Observaste que las cajas de cerillos tienen escrito **cerillos de seguridad**? Resulta que los primeros cerillos eran muy peligrosos: eran venenosos y se encendían al frotarlos contra cualquier cosa.

En Londres, en el año 1861, se fabricaron cerillos que no eran venenosos y que sólo se encendían si se los raspaba contra el costado de la cajita. Por eso se los llamó **cerillos de seguridad**. Y fueron todo un éxito: se vendían casi 2 millones por semana.

Leonardo da Vinci fue un gran genio que nació en Italia en el año 1452. Fueron tantas las cosas que hizo, que no alcanzaría este libro para nombrarlas. A Leonardo le encantaba cocinar, pero tenía un problema: la cocina se le incendiaba a menudo. Por eso, inventó un sistema de lluvia artificial que se activaría en caso de peligro. Pero parece que cuando lo estrenó, ocurrió un desastre: empezó a funcionar en cualquier momento, la cocina se inundó y los cocineros terminaron empapados.

En el año 673, los árabes rodearon con sus barcos la ciudad de Constantinopla, para atacarla. Tenían todas las de ganar, pero no contaban con la astucia del sabio Calínico. Calínico inventó un combustible que no se apagaba con el agua.

Los defensores encendieron el combustible y lo lanzaron hacia los barcos de madera de los invasores. Los árabes nunca habían visto fuego en el agua y no sabían cómo apagarlo. Se asustaron tanto, que decidieron dar media vuelta. Y Constantinopla se salvó.

Seguramente, una de las primeras cosas que te enseñaron es que no tienes que acercarte al fuego. ¿Por qué? ¡Elemental! Porque quema. Pero...

¿Por qué quema el fuego?

Quizás nunca lo pensaste de esta manera, pero un tronco ardiendo o una vela encendida es una "fábrica de calor". Pero una fábrica muy especial: no tiene máquinas ni operarios. Para funcionar, sólo necesita **un combustible bien caliente y oxígeno suficiente.**

Si te parece raro que al juntar dos cosas se pueda "fabricar" calor, haz el siguiente experimento:

¡Manos a la obra!

Llena un vaso con agua, otro con alcohol y un tercero con agua y alcohol (mitad y mitad). Espera un minuto y mete el dedo en cada vaso. ¿Alguno está más caliente? Cuando se juntan el agua y el alcohol, la mezcla se pone bastante caliente... Pero si se unen un combustible caliente y oxígeno, el conjunto es verdaderamente ardiente. Tan ardiente que quema.

Para los más curiosos

Muchos de tus juguetes funcionan con pilas. ¿Sabes para qué sirve la pila? Es como una alcancía que guarda energía. Cuando aprietas el botón, la pila libera la energía que tiene acumulada y el juguete la usa para funcionar.

El combustible, como la pila, también tiene energía guardada. Y cuando se une con el oxígeno, hay energía *para dar y tomar*. Como la unión no puede acumular tanta energía, se libera una parte en forma de calor.

¿Sabes una cosa? Hay fuegos que queman más que otros. Y el secreto está en el aire...

EL AIRE TIENE OXÍGENO

La danza del fuego

Algunos combustibles son tan irresistibles que el oxígeno jamás se negaría a bailar con ellos. Y cuanto más oxígeno conquiste el combustible, más caliente será el baile. Pero aunque el bailarín sea un príncipe azul, no siempre encuentra a su Cenicienta. Y si hay poco oxígeno para bailar, la fiesta se entibia.

Cuanto mejor sea el combustible y más oxígeno haya a su alrededor, **más caliente** será el fuego.

57

¿Cómo podrías saber si un fuego está más caliente que otro?
Si estás pensando en poner el dedo en la llama para descubrirlo,
abandona la idea: hasta el fuego "más frío" está que *pela*.

El asunto es más sencillo de lo que crees:
basta con mirar su color. Pero..

TODOS ESTÁN SUPERCALIENTES!!!

¿De qué color es el fuego?

AZUL

AMARILLO

NARANJA

58

¿Quién tiene razón? Todos y ninguno. ¿Sabes por qué? Porque **el fuego no tiene un único color.** Puede ser naranja, amarillo, azul, azul y amarillo, azul y verde...

El fuego naranja es el más frío y el azul es el más calentón.

Durante muchos años se usó la *Prueba del fuego* para averiguar si alguien decía la **verdad** o **era un mentiroso.** El acusado tenía que caminar llevando en las manos un hierro muy caliente. Si lo soltaba antes de llegar a la meta, estaba "demostrado" que había mentido. Si resistía hasta el final, quedaba libre de toda sospecha. De esta **ridiculez** nació la costumbre de decir **"Pongo las manos en el fuego por ti"** cuando alguien quiere demostrarte que confía mucho en ti.

¿De dónde salen los colores del fuego?

Si tienes un calentador eléctrico, puedes **mirarlo fijamente** para encontrar algunas pistas.

¿Qué pasa cuando lo enciendes? Si acercas **un poco** la mano, vas a notar que los rollitos empiezan a calentarse. Al rato, vas a ver que empiezan a brillar y van cambiando de color: primero **rosa,** después **rojo** y finalmente **anaranjado.** No les pidas más: hasta ahí llegan. Si se calentaran más, se partirían.

¿Y si pudieran seguir adelante? Los rollitos pasarían del naranja al amarillo, de ahí al verde y por último al azul... ¡Qué calentador!

Aunque el calentador **no tiene fuego,** con las llamas pasa algo muy parecido. Cuando se unen el combustible y el oxígeno, además de calor se "fabrican" otras cosas que, al calentarse, brillan. Los fuegos más debiluchos son como los calentadores: no pasan del naranja. Los más fortachones se ponen azules como *Los pitufos.*

60

¿Qué son los fuegos artificiales?

Cuando hay una **celebración** acompañada de fuegos artificiales, no hay nada más lindo que salir a la calle o al balcón. El espectáculo es impresionante. El cielo se tiñe de rojo, amarillo, violeta, verde, rosa, azul, blanco... ¿De dónde salen estos colores? Los cohetes y las bengalas contienen cosas que, cuando se calientan, **brillan.** Cada cosa da un **color determinado** y se combinan en el cielo, dejándote con la boca abierta.

¡Manos a la obra!

La próxima vez que tengas una fogata a mano, pídele a algún mayor que te ayude a agregarle colores al fuego. Si tienes sal común, sal sin sodio, azúcar, fécula de maíz o leche en polvo, tíralos a las llamas y disfruta de tus fuegos artificiales.

Para los más curiosos

Si quieres entender mejor este asunto de los colores, fija la mirada a una vela encendida. A medida que se derrite, pedazos de vela muy pequeñitos suben volando. Estos pedacitos, que están **más calientes** que los rollos de un calentador eléctrico, se ven amarillo brillante (en vez de naranja). Por eso, la llama de la vela es más que nada amarilla. Si miras cerca de la mecha, vas a ver que ahí la llama es azul. En ese lugar se fabrican gases que, como están "pegados" al combustible que arde, están supercalientes y brillan con ese color.

Un alto en el camino...

En San Sebastián, una ciudad española, se realiza todos los años una competición de fuegos artificiales en la que participan un montón de países. Mientras se preparan para el evento, los competidores calientan diferentes cosas, hasta conseguir la mezcla más colorida. Debe ser difícil elegir al ganador...

En Inglaterra, el 5 de noviembre, la gente enciende hogueras y fuegos artificiales para recordar la captura de Guy Fawkes. Este señor tenía un plan terrible: **destruir el Parlamento**. Lo descubrieron justo a tiempo.

Los inventores de los fuegos artificiales fueron los chinos. Los fabricaban metiendo una mezcla de sal, carbón y un combustible en cañas huecas de bambú. Además de encenderlos en los días de fiesta, los usaban para espantar a los caballos de los mongoles, sus enemigos.

Los fuegos artificiales se usan también para mandar mensajes durante la noche. Con una pistola especial se disparan bolas de fuego rojas, verdes y blancas. **Una bengala roja significa ¡Peligro!** Para enviar mensajes más largos, se combinan distintos colores, usando un código especial.

El "manual del buen explorador" dice que si quieres ser un aventurero, tienes que saber encender una hoguera. El fuego te calienta y te sirve para preparar la comida y ahuyentar a los animales que quieran robarte el almuerzo. Y si te pierdes, puede ayudar a que te encuentren en un santiamén.

No hace falta que provoques un incendio... Un poco de humo es una señal inconfundible. Pero...

¿Qué es el humo?

Cuando el combustible caliente no encuentra suficiente oxígeno para bailar, no se queda con las ganas de *sacarle brillo a la pista*. ¿Y con quién *mueve el esqueleto*? Además de luz y calor, un tronco encendido "fabrica" agua, que hierve como la de una tetera. Este **vapor de agua** se junta con el combustible que está sin pareja (el que no está **quemado**). La mezcla de estas dos cosas es tan liviana, que se va para arriba y forma el humo negro que tantas veces habrás visto...

Canción para el combustible

Si usted tiene muchas ganas de bailar,
si usted tiene muchas ganas de bailar,
si usted tiene algún vapor y nada de oxígeno
no se quede con las ganas de bailar.

64

En el *Martín Fierro*, un libro que cuenta las aventuras de un gaucho argentino, puedes enterarte de cómo vivían los indios argentinos hace muchos años. Fierro cuenta que, en tiempos de guerra, las distintas tribus se unían para atacar al enemigo. ¿Y cómo crees que se avisaban dónde y cuándo iba a ser la pelea? **Encendiendo una hoguera.** Según cómo salía el humo, los indios descifraban el mensaje, gracias a un código que sólo ellos conocían.

Martín Fierro lo explica así:

Su señal es un humito
que se eleva muy arriba.
De todas partes se vienen
a engrosar la comitiva.

Para los más curiosos

¿Te has dado cuenta de que el fuego del fogón no da humo? El combustible que se usa en las cocinas (gas natural) se mezcla con aire (oxígeno) antes de salir por el fogón. De esta forma, el combustible entra al baile con su pareja y no tiene que salir a buscarla...

Entonces, el fuego suelta humo cuando no hay suficiente oxígeno para quemar todo el combustible.

Donde hubo fuego, ¿cenizas quedan?

Después de comer una rica parrillada, además de lavar los platos, hay que limpiar la parrilla. **¿Qué queda?** Media morcilla, un huesito, grasa y muuuucha ceniza...

¿Qué es la ceniza?

Un tronco que se quema no es un combustible *de pies a cabeza*: hay cosas en la madera que no forman pareja con nada. Cuando se quemó todo lo que se podía quemar, puedes encontrar a esos solitarios: son las cenizas.

No pierdas el tiempo buscando cenizas en los fogones u hornillas de tu cocina porque no las vas a encontrar. ¿Sabes por qué? El gas que se usa en las casas es un combustible *de pura cepa*: se quema todo, todo...

¿Sabes una cosa? Las cenizas también sirven para mandar mensajes secretos. ¿Quieres escribir uno? Aquí va la receta.

¡Manos a la obra!

Unta un pincel con leche y escribe tu mensaje secreto en una hoja de papel.

Déjalo secar. ¿Puedes leer lo que dice? No se ve nada... Ahora pídele a algún mayor que te ayude a recuperarlo. Enciendan una vela y pasen la hoja sobre la llama, cuidando que el papel no se queme. Vas a ver que las letras empiezan a aparecer y se ponen negras.

¿Qué ocurrió? La leche (seca) necesita menos calor que el papel para quemarse. Pero como no es un combustible "perfecto", **deja ceniza que queda atrapada en el papel.** Ése es tu mensaje secreto.

Para los más curiosos

Las raíces de los árboles "chupan" del suelo muchas cosas que necesitan para crecer. Entre esas cosas, hay unas que se llaman **minerales.** Cuando los árboles se queman, los minerales quedan en la ceniza y vuelven al suelo. Los que nacen después, allí mismo, crecen sanos y fuertes porque la tierra está como nueva.

Datos curiosos

La escena es conocida. El árbitro cobra penalty y los hinchas del equipo contrario se le tiran encima, enfurecidos, porque creen que la falta no existió. Para describir el ambiente, un locutor argentino diría: *La hinchada se fue al humo contra el árbitro.* ¿Sabes de dónde viene esta frase? Cuando los soldados andaban por las pampas persiguiendo a los indios, sabían que una hoguera mal apagada podía ser una trampa mortal. Los indios **iban hacia el humo** y atacaban a los soldados por sorpresa.

En una película de **James Bond** (si no lo conoces, pregúntale a algún mayor quién es, que le va a encantar recordarlo), se incendia un edificio muy importante de la ciudad de San Francisco, en Estados Unidos. ¿Fue un truco o le encendieron fuego realmente? Aunque te parezca increíble, lo incendiaron 25 veces. Para que no se quemara **de verdad,** lo cubrieron con un material especial que no se quema para nada. Después lo rociaron con combustible y lo encendieron. Como el edificio estaba protegido, las llamas no le hicieron *ni cosquillas.*

ace muchos años, las velas también se usaban para medir el paso del tiempo. En los juicios, los acusados, los abogados y los testigos, tenían un tiempo fijo para hablar: lo que tardaba en consumirse una vela de un tamaño determinado. Termina rápido de leer este libro porque se está apagando la vela...

uando los hombres empezaron a usar el fuego para cocinar a sus presas, seguro que notaron que la grasa ardía mejor que los troncos. Y en algún momento se les iluminó la bombilla: podían poner un poco de grasa en una piedra agujereada para llevar la luz a donde la necesitaran. Así se inventó la **lámpara de aceite,** hace más de 20.000 años.

69

Si quieres que nos conozcamos mejor, mándanos un e-mail o una carta. Nos encantaría saber cómo te llamas, cuántos años tienes, qué te gusta hacer y todo lo que nos quieras contar. Ahora te toca escribir a ti. **¡Anímate!**

Ileana y Carla

info@iamique.com.ar
Ediciones Iamiqué
Guatemala 6013
(1425) Buenos Aires, Argentina

¿Quieres enterarte de algunas cosas muy curiosas de los **animales**?

¿Por qué se rayó la cebra?
y otras armas curiosas
que tienen los animales
para no ser devorados

¿Por qué es trompudo el elefante?
y otras curiosidades de los
animales a la hora de comer

¿Por qué es tan guapo el pavo real?
y otras estrategias de los
animales para tener hijos

Este libro se imprimió y
encuadernó en septiembre de 2009,
en Grancharoff impresores,
Tapalqué 5868,
Ciudad de Buenos Aires, Argentina.
impresores@grancharoff.com